KB104607

딱 하루 만에 읽고 터득하는

집에서 외국어 정복하는 법

문재영 지음

딱 하루만에 읽고 터득하는 집에서 외국어 정복하는 법

발 행 | 2024년 06월 12일
저 자 | 문재영
펴낸이 | 한건희
펴낸곳 | 주식회사 부크크
출판사등록 | 2014.07.15(제2014-16호)
주 소 | 서울특별시 금천구 가산디지털1로 119 SK트윈타워 A동 305호
전 화 | 1670-8316
이메일 | info@bookk.co.kr
ISBN | 979-11-410-8928-3
www.bookk.co.kr

딱! 하루 만에 읽고 터득하는

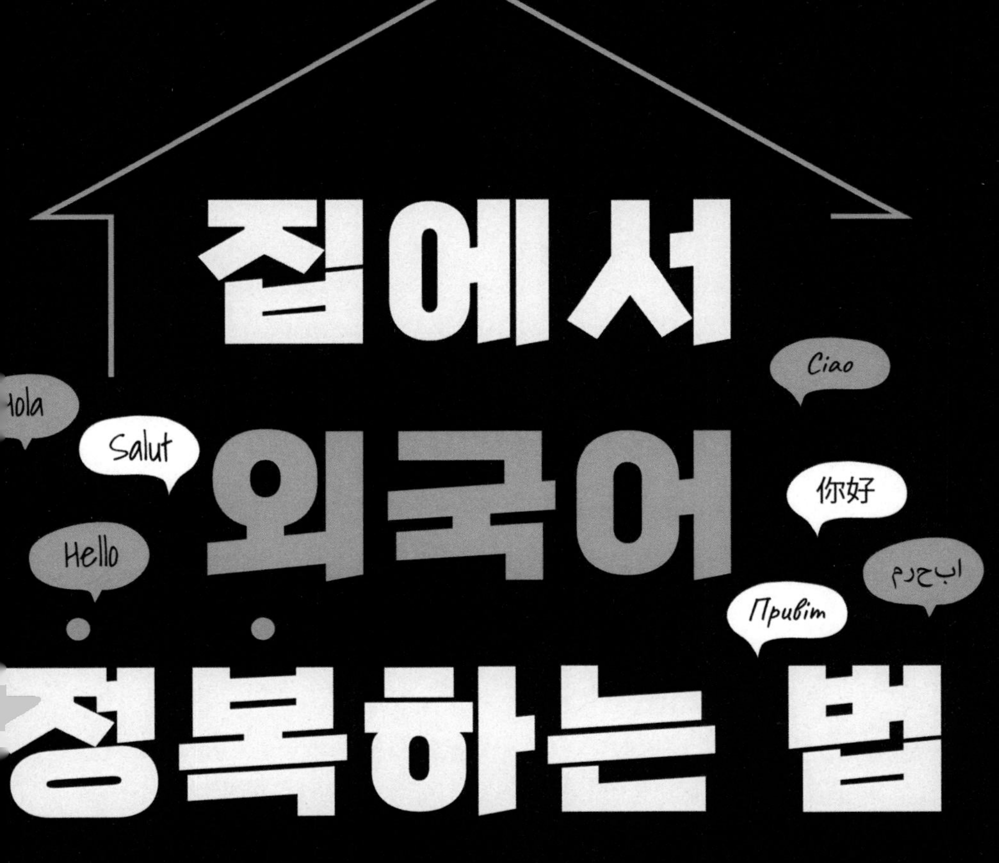

문재영 저

Five Finger Rule 다독, 퀴즐렛 어플리케이션 활용, 흘려듣기 및 집중듣기
그리고 챗 GPT를 적극 활용한 인풋, 아웃풋, 인터랙션 회화 학습 소개.

효과적인 학습 방법론을 **핵심**만을 짧게 압축하여
루만에 읽고 터득할 수 있도록 도와드리겠습니다.

들어가며

오스트리아-헝가리 제국의 철학자 루트비히 비트겐슈타인(Ludwig Wittgenstein)은 “언어의 한계가 곧 세계의 한계(Die Grenzen meiner Sprache bedeuten die Grenzen meiner Welt)”이라는 말을 남겼다. 이 말은 언어를 배운다는 것이 얼마나 값진 경험이 될 수 있는지를 잘 나타낸다. 그러나 이러한 경험의 열매를 맺기 위해서는 매우 많은 시간과 노력이 필요하다.

필자는 독일어를 거의 모르는 상황에서 독일로 떠났다. 당시에 아는 독일어라고는 알파벳과 간단한 문장 몇 개가 전부였다. 떠나기 전에는 막연히 ‘뭐, 가서 열심히 하면 되겠지.‘라고 생각했다. 하지만 아니나다를까 독일에 도착하자마자 여러 가지 문제가 생기기 시작했다. 그중 대부분은 의사소통, 즉 언어로부터 비롯되었다.

그래서 처음 두 달 간은 영어로 의사소통을 하면서 조금씩 독일 생활에 적응해 나갔다. 그리고 독일 생활에 어느 정도 익숙해진 후 집 근처의 어학원에 다니기 시작했다. 몇 달을 배우다 보니 독일어를 더듬더듬 하며 말할 수 있는 수준이 되었다. 그리고 독일에서 대학원에 입학하고 졸업까지 하고 나니 독일어로 대화하는 것이 그리 부담스럽지 않게 되었다. 지난 날들을 되돌아보면 지금까지 잘 버텨온 나 자신이 대견하게 느껴지기도 한다. 해외에서 하루하루를 꿋꿋이 살아가는 한국인분들께 찬사를 보낸다.

독일에서 유학 생활을 할 때 매일같이 하던 고민이 있었다. 그것은 바로 '어떻게 하면 독일어를 더 잘할 수 있을까?'였다. 최근 새로운 외국어를 공부하기 시작했는데, 이런 고민을 했던 유학 초기 시절이 생각났다. 지금 이 시간에도 외국어 학습법에 관한 수많은 서적, 강의, 온라인 컨텐츠가 우후죽순처럼 쏟아져 나오고 있다. 이러한 상황은 외국어 학습자들에게 매우 도움이 되기도 하지만, 동시에 난감한 상황이기도 하다. 너무나도 많은 정보에 노출되어 있다 보니 어디서부터 손을 대야 할지도 모르겠고, 자신에게 맞는 효과적인 외국어 학습법이 어떤 것인지 찾기도 어렵기 때문이다. 필자 역시 독일어를 처음 배우기 시작했을 때 무엇부터 해야 할지 몰라서 고생했던 기억이 있다. 하지만 지금은 그때와 달리 지난 8년간 직접 부딪혀가며 얻은 귀중한 경험과 잘 쌓아온 노하우들이 있다. 그래서 이러한 학습법과 노하우에서 짧게 핵심만을 추려내어 외국어 학습에 어려움을 겪거나 외국어 학습을 이제 막 시작하려는 사람들과 공유해보는 것도 좋겠다는 생각이 들었다.

이 책은 특히 다음과 같은 독자들에게 강력히 추천한다.

- 외국어 학습으로 인해 지친 분들: 여러 학습 방법을 시도해 봤지만 만족스러운 결과를 얻지 못해 지쳐있는 이들에게 새로운 학습 방향을 제안한다.
- 새로운 외국어를 배우고자 하는 분들: 새로운 외국어를 본격적으로 학습하려는 분들에게 효과적인 학습 방법론을 제공한다.
- 외국어 학습에 도움되는 리소스를 찾는 분들: 외국어 학습과 관련된 프로그램, 앱, 웹사이트 등의 정보를 찾고 있다면 추천한다.
- 자기 주도 학습을 선호하는 분들: 혼자서도 효과적으로 외국어를 학습할 수 있는 방법을 찾고 계시다면 도움이 될 것이다.

이 책이 외국어 학습 여정을 더욱 풍성하고 유익하게 만드는 데 도움이 되길 바란다.

목차

외국어 읽기 정복하기 - 다독

과연 원서 읽기로 읽기 능력 향상이 가능할까?

독해 능력 향상을 위해서 가장 많이 시도하는 것이 바로 원서 읽기일 것이다. 예전에 어디선가 한 개의 원서를 선택하여 수십 수백 번 읽고 외국어를 마스터했다는 얘기를 들은 기억이 있다. 필자 역시 한때 노인과 바다라는 100페이지 안팎의 영어 원서를 10번 넘게 읽었던 적이 있다. 하지만 그것만으로는 독해능력을 눈에 띄게 향상시킬 수는 없었다. 그래서 전략을 바꿔서 다양한 주제와 난이도의 원서 여러 권을 구매해 읽기 시작했다. 그런데 이번에도 독서 자체에 대한 흥미가 없어지면서 끝내는 영어 학습 동기까지 잃게 되었다. 결국은 목표로 하던 성과를 거두지 못한 채로 원서 읽기는 흐지부지되었다.

독서가 외국어 이해 능력을 비약적으로 향상시킨다는 것은 잘 알려진 사실이다. 하지만 이와 별개로 독서의 과정에서 적절한 도서를 선택하지 못하고 흥미를 느끼기 어렵다면 독서를 지속하기가 힘들다. 필자 역시 어렵고 별로 재미없는 책을 읽어야 한다는 따분함 때문에 독서하는 과정 자체가 너무 고되었다.

그리고 몇 년 뒤 유학 길에 올라 독일어를 새로 배우게 되었다. 예전에 겪었던 일이 생각나서 독일어 독해 능력을 어떻게 향상시켜야 할까를 고민하기 시작했다. 그러면서 깨달은 사실은 독서 자체가 아니라 책의 선택에 문제가 있었다는 것이다. '다독(Extensive Reading)'을 통한 학습법을 위해서는 적절한 학습자료 선택이 매우 중요하다는 것이다.

다독 학습법

읽기 활동은 크게 두 가지로 나누어 볼 수 있다. '정독(Intensive Reading)'과 '다독(Extensive Reading)'이다. 외국어 학습에서 정독은 우리가 학교나 학원에서 영어 공부를 할 때 자주 접하는 방법이다. 이는 텍스트 내의 모든 문장들을 해체하고 분석하는 학습법으로, 여기에는 각 문장에 쓰인 단어들의 뜻을 찾고 문법을 분석하는 과정이 포함된다. 예를 들어 학교에서는 교과서에 나오는 영어 지문을 읽고 주어진 문제를 해결하는 방식으로 수업을 진행한다. 대학수학능력시험을 준비하는 학생들 역시 영어 독해 능력을 키우기 위해 가장 많이 이용하는 학습법이기도 하다.

반면에 다독은 방대한 양의 텍스트를 물 흐르듯이 읽는 방법이다. 다독은 이미 외국어를 습득하는 가장 효과적인 학습법들 중 하나로 알려져 있다. 다독의 핵심을 한 문장으로 표현하면 "적절한 수준의 흥미로운 읽기 자료를 풍부하게 읽기"이다. 다독을 할 때 가장 중요한 단계는 바로 책의 선정이다. 이때 다음의 두 가지 조건을 만족해야 한다.

1. 자신의 수준보다 약간 어려운 책
2. 자신이 크게 흥미를 가질 만한 주제를 다루는 책

첫 번째 조건을 보면 떠오르는 의문은 "과연 어떤 수준의 책이 나에게 적합할까?"라는 것이다. 미국의 저명한 언어학자 스티븐 크라센(Stephen Krashen)은 효과적인 외국어 학습을 위해서는 현재 자신의 언어 수준('i')보다 약간 높은, 즉 'i+1' 수준의 자료를 선택해야 한다고 주장한다. 이와 관련한 연구에 따르면 전체 글에서 98%의 어휘를 알고 있는 상황에서 다독을 진행하는 것이 효과적이라고 알려져 있다. 적절한 수준의 책을 고르는 방법으로 '5 Finger Rule'이라는 것이 있다. 이는 한 페이지 내에서 모르는 단어가 얼마나 있는지 확인하는 것을 통해 자신에게 맞는 책을 찾는 방법인데, 책에서 아무 페이지나 펼쳐서 해당 페이지에 뜻을 모르는 단어가 몇 개나 되는지 세어 본다.

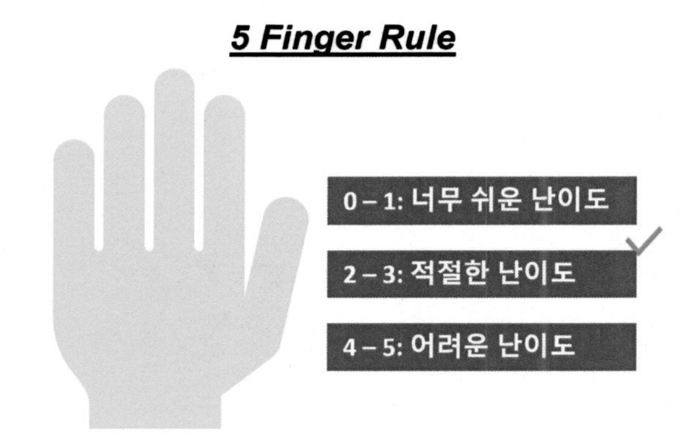

해당 페이지에서 뜻을 모르는 단어가 대략 2~3개 정도 있다면 다독에 적합하다. 만약 모르는 단어의 수가 이보다 더 적다면 너무 쉬운 책을 고른 것이다. 반대로 4개 이상이라면 책이 술술 읽히지 않기 때문에 다독을 하기에 부적합하다. 결과적으로 독서에 대한 흥미가 금방 떨어져 다독을 지속적으로 하기 어렵게 된다.

책의 주제 또한 중요한 고려사항이다. 성공적인 외국어 다독을 위해서는 규칙적인 독서가 필요하다. 즉, 독서에 대한 학습자의 흥미가 항상 높게 유지되어야 가능하다는 것이다. 그러므로 본인이 평소에 흥미를 가지는 주제가 무엇인지 고민해 보고 책을 선택한다. 흥미를 불러일으키지 못하는 주제의 책은 피하도록 한다. 만약 본인이 상급 수준의 실력을 가졌다면 책 뿐만 아니라 잡지, 신문 등 자료를 가리지 않고 다양하게 시도해도 좋다. 반대로 숙련도가 많이 떨어진다면 아이들을 위한 동화책을 읽어보는 것을 추천한다.

다독은 글을 빠르게 읽으면서도 높은 이해도를 유지하는 외국어 학습방법이다. 정독과는 달리 모르는 단어가 나와도 사전을 사용하지 않는다. 문맥을 이해하며 읽는 행위에 집중하는 것이 핵심이기 때문에 모르는 단어가 나오더라도 펜으로 간단히 체크만 하고 넘어간다. 그리고 읽기가 끝난 다음 필요 시 사전을 이용한다.

나만의 다독 학습 전략

위의 기본적인 틀을 지키면서 자신의 스타일에 맞게 다독을 진행한다. 필자는 독일어 괴테 C1 자격증 시험을 앞두고 읽기 영역이 발목을 잡았다. 그래서 시험이 몇 달 안 남은 시점에서 다독을 통해 독일어 읽기 정복 계획을 세웠다.

먼저 어떤 분야에 관심이 있는지 생각해 보았다. 한글로 된 책 중에서는 과학이나 역사를 쉽고 재미있게 풀어 쓴 책들을 즐겨 읽었으므로, 서점에서 비슷한 분류의 독일어 책을 찾았다. 그리고 Five Finger Rule을 적용해 100~200쪽 분량의 책 몇 권을 구매하였다.

다독은 주로 잠자리에 들기 전 시간을 내어 진행했다. 독서를 할 때는 그냥 눈으로만 읽기보다는 손가락이나 펜으로 읽는 부분을 따라가며 집중도를 높였다. 중간중간 모르는 단어가 나올 때는 문맥에서 추론하고 나서 펜으로 표시하고 넘어갔다.

그렇게 한 달이 조금 지나자 읽는 속도가 처음보다 거의 두 배 가까이 빨라졌다는 느낌이 들었다. 속독을 하더라도 내용 이해가 가능한 수준의 책을 골랐기 때문에, 읽는 속도가 두 배로 빨라졌어도 어떤 내용인지 이해하는 데는 전혀 무리가 없었다. 이를 통해 당시 독일어 시험을 준비하는 데 가장 큰 골칫거리였던 읽기 영역을 극복할 수 있었다. 이와 더불어 독서에 대한 자신감이 붙으면서 흥미까지 생기게 되었다.

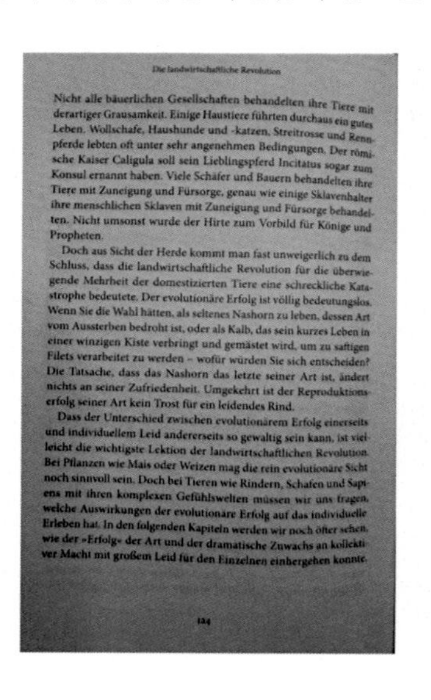

Die landwirtschaftliche Revolution

Nicht alle bäuerlichen Gesellschaften behandelten ihre Tiere mit derartiger Grausamkeit. Einige Haustiere führten durchaus ein gutes Leben. Wollschafe, Haushunde und -katzen, Streitrosse und Rennpferde lebten oft unter sehr angenehmen Bedingungen. Der römische Kaiser Caligula soll sein Lieblingspferd Incitatus sogar zum Konsul ernannt haben. Viele Schäfer und Bauern behandelten ihre Tiere mit Zuneigung und Fürsorge, genau wie einige Sklavenhalter ihre menschlichen Sklaven mit Zuneigung und Fürsorge behandelten. Nicht umsonst wurde der Hirte zum Vorbild für Könige und Propheten.

Doch aus Sicht der Herde kommt man fast unweigerlich zu dem Schluss, dass die landwirtschaftliche Revolution für die überwiegende Mehrheit der domestizierten Tiere eine schreckliche Katastrophe bedeutete. Der evolutionäre Erfolg ist völlig bedeutungslos. Wenn Sie die Wahl hätten, als seltenes Nashorn zu leben, dessen Art vom Aussterben bedroht ist, oder als Kalb, das sein kurzes Leben in einer winzigen Kiste verbringt und gemästet wird, um zu saftigen Filets verarbeitet zu werden – wofür würden Sie sich entscheiden? Die Tatsache, dass das Nashorn das letzte seiner Art ist, ändert nichts an seiner Zufriedenheit. Umgekehrt ist der Reproduktionserfolg seiner Art kein Trost für ein leidendes Rind.

Dass der Unterschied zwischen evolutionärem Erfolg einerseits und individuellem Leid andererseits so gewaltig sein kann, ist vielleicht die wichtigste Lektion der landwirtschaftlichen Revolution. Bei Pflanzen wie Mais oder Weizen mag die rein evolutionäre Sicht noch sinnvoll sein. Doch bei Tieren wie Rindern, Schafen und Sapiens mit ihren komplexen Gefühlswelten müssen wir uns fragen, welche Auswirkungen der evolutionäre Erfolg auf das individuelle Erleben hat. In den folgenden Kapiteln werden wir noch öfter sehen, wie der »Erfolg« der Art und der dramatische Zuwachs an kollektiver Macht mit großem Leid für den Einzelnen einhergehen konnte.

124

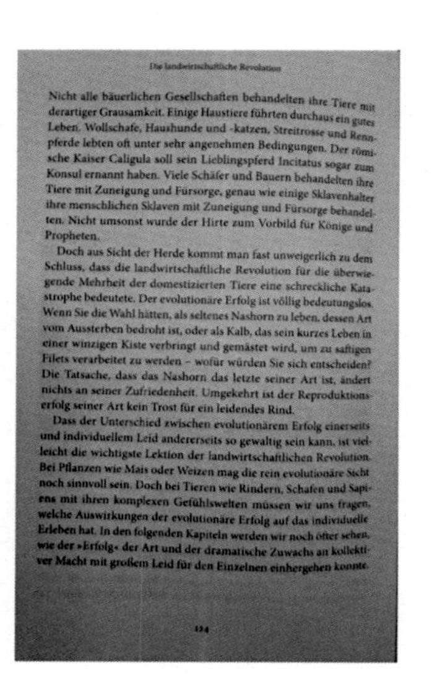

Die landwirtschaftliche Revolution

Nicht alle bäuerlichen Gesellschaften behandelten ihre Tiere mit derartiger Grausamkeit. Einige Haustiere führten durchaus ein gutes Leben. Wollschafe, Haushunde und -katzen, Streitrosse und Rennpferde lebten oft unter sehr angenehmen Bedingungen. Der römische Kaiser Caligula soll sein Lieblingspferd Incitatus sogar zum Konsul ernannt haben. Viele Schäfer und Bauern behandelten ihre Tiere mit Zuneigung und Fürsorge, genau wie einige Sklavenhalter ihre menschlichen Sklaven mit Zuneigung und Fürsorge behandelten. Nicht umsonst wurde der Hirte zum Vorbild für Könige und Propheten.

Doch aus Sicht der Herde kommt man fast unweigerlich zu dem Schluss, dass die landwirtschaftliche Revolution für die überwiegende Mehrheit der domestizierten Tiere eine schreckliche Katastrophe bedeutete. Der evolutionäre Erfolg ist völlig bedeutungslos. Wenn Sie die Wahl hätten, als seltenes Nashorn zu leben, dessen Art vom Aussterben bedroht ist, oder als Kalb, das sein kurzes Leben in einer winzigen Kiste verbringt und gemästet wird, um zu saftigen Filets verarbeitet zu werden – wofür würden Sie sich entscheiden? Die Tatsache, dass das Nashorn das letzte seiner Art ist, ändert nichts an seiner Zufriedenheit. Umgekehrt ist der Reproduktionserfolg seiner Art kein Trost für ein leidendes Rind.

Dass der Unterschied zwischen evolutionärem Erfolg einerseits und individuellem Leid andererseits so gewaltig sein kann, ist vielleicht die wichtigste Lektion der landwirtschaftlichen Revolution. Bei Pflanzen wie Mais oder Weizen mag die rein evolutionäre Sicht noch sinnvoll sein. Doch bei Tieren wie Rindern, Schafen und Sapiens mit ihren komplexen Gefühlswelten müssen wir uns fragen, welche Auswirkungen der evolutionäre Erfolg auf das individuelle Erleben hat. In den folgenden Kapiteln werden wir noch öfter sehen, wie der »Erfolg« der Art und der dramatische Zuwachs an kollektiver Macht mit großem Leid für den Einzelnen einhergehen konnte.

124

결론적으로 다독은 독일어 괴테 C1 자격시험을 좋은 성적으로 통과하는 데 큰 기여를 했다. 독자 여러분도 다독을 통해 외국어 공부를 효과적으로 하며, 또한 독서하는 습관까지 만들 수 있으면 좋겠다. 끝으로 다독의 키 포인트를 정리하면서 이 장을 마친다.

- 다독은 외국어 읽기 능력을 효과적으로 향상시킬 수 있는 학습법이다.
- 책을 고르기 전에 자신이 어떤 책에 흥미가 있는지 먼저 고민해 본다.
- 적절한 수준의 책 선택이 중요하며, 페이지당 2~3개의 모르는 단어가 있는 책이 다독에 이상적이다.
- 학습자의 흥미를 유지하는 것이 성공적인 다독 학습에 필수적이다.
- 모르는 단어는 사전을 찾지 않고 문맥으로 이해하려고 노력한다.

외국어 어휘 정복하기 - 퀴즐렛

우선 자주 쓰는 어휘를 목표로 하자

외국어 학습의 토대를 이루는 것이 바로 어휘다. 영국의 언어학자 데이비드 윌킨스(David A. Wilkins)는 "문법 없이는 매우 적은 것만 전달될 수 있지만, 어휘 없이는 아무 것도 전달될 수 없다(While without grammar little can be conveyed, without vocabulary nothing can be conveyed)."라고 하며 어휘의 중요성을 강조했다.

그러나 어휘 학습은 끊임없는 반복과 많은 시간을 요구한다. 그러다 보니 가장 중요한 어휘의 학습은 제일 지루하고 고통스러운 과정이 되어버린다. 하지만 어휘 역시도 효율적인 학습이 가능하다. 이를 위해서는 어떤 어휘들을 우선적으로 암기할지 정하고, 어떻게 외울지 고민해야 한다.

독일 대학원에 입학하기 위해 GRE(Graduate Record Examination)라는 영어능력 시험을 치른 적이 있다. 독일어 과정에 입학하는 데 대체 왜 영어 사용 능력을 평가하는지는 여전히 의문이다. 하지만 다른 선택지가 없었기에 GRE 테스트 공부를 시작하였다. 학원에서 시험 준비를 위해 필수로 외워야 하는 단어장을 받았는데, 이때 큰 충격을 받았다. 단어장에는 3천 개에 가까운 단어들이 있었는데, 대부분이 여지껏 듣지도 보지도 못했던 생소한 단어들 뿐이었다. GRE 시험을 준비하던 4

달은 그야말로 지옥과 같았다.

우여곡절 끝에 시험은 성공적으로 치렀는데, 몇 년 뒤 우연히 단어장을 다시 펴 볼 일이 있었다. 그런데 허탈하게도 뜻이 정확하게 기억나는 단어는 손에 꼽을 정도였다. 어휘는 계속 보고 듣고 말하면서 써야 한다. 그렇지 않으면 서서히 잊히고 만다. 외우면 까먹고 다시 외우면 또 다시 까먹는 굴레가 반복된다. 이 때문에 외국어 학습 자체에 진절머리를 내는 학습자들이 생긴다.

그러나 우리를 더 지치게 만드는 숨겨진 것이 또 있다. 바로 무의식적인 완벽주의다. 예를 하나 들면 단어장 내의 단어를 하나도 빠짐없이 모조리 외우자고 생각하는 것이다. 학습자들이 가지는 이런 완벽주의적인 마인드셋이 오히려 외국어 습득을 방해하는 족쇄로 작용한다. 이는 자칫하면 학습 효율뿐만 아니라 학습의 의지마저 꺾어 버리기 때문이다. 따라서 눈에 보이는 단어를 전부 외우는 방식은 되도록 지양해야 한다.

그 대신 단어를 실제 사용 빈도순으로 쭉 나열해서 가장 많이 쓰이는 단어부터 외우는 것이 좋다. 언어학자 스튜어트 웹(Stuart Webb)은 그의 연구에서 영국 방송 프로그램들에서 가장 자주 쓰인 영어 단어 1,000개를 추렸다. 이후 그는 거꾸로 이 1,000개의 단어가 실제로 얼마나 자주 사용되는지를 조사했다. 조사 결과 이 단어들의 사용 빈도가 85%를 차지하는 것으로 밝혀졌다.

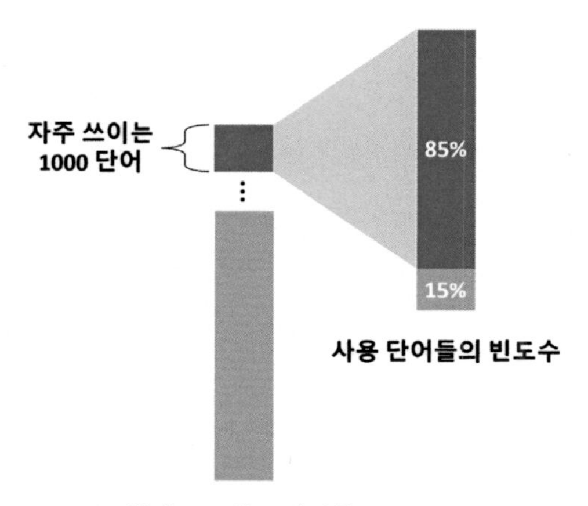

실제로 쓰이는 단어들

이 말은 즉 1,000개의 단어만 잘 알아둬도 외국어로 일상생활을 영위하는 데 큰 문제가 없다는 것을 뜻한다. 결론적으로 어휘 학습은 단순하게 모르는 단어를 외우는 방향으로 나아가면 안 된다는 것이다. 학습자들은 제일 많이 쓰는 단어들부터 우선적으로 습득하는 것이 좋다. 특히 새로운 외국어를 익히기로 마음먹었다면 우선 가장 중요도가 높은 단어들의 다양한 쓰임새를 확실하게 체화하는 것이 필수적이다. 이러한 토대를 기반으로 더 어렵고 생소한 어휘에 단계적으로 도전하면 체계적이고 효과적인 어휘 학습이 가능할 것이다.

단어'만' 외우는 어휘학 습에서 벗어나기

눈으로 단어만 기계적으로 외우는 어휘 학습 방법은 구시대적인 최악의 학습법이다. 시각뿐만 아니라 청각을 동시에 활용하는 어휘 학습의 효과는 이미 많은 학습자들에 의해 입증되었다. 그 원리와 효과에 대한 과학적 연구 역시 이루어져 있다. 미국의 심리학자 리차드 마이어(Richard E. Mayer)의 연구는 다양한 멀티미디어 자료가 기억 속에서 어떻게 처리되는지 잘 보여준다. 정보의 인지 처리 과정에서 정보는 감각 기관인 눈과 귀를 통해 시각 입력(Visual Input)과 청각 입력(Sound Input)으로 뇌에 전달된다. 그런 다음 이 정보는 뇌 속에서 작업 기억(Working Memory)으로 넘어가게 된다. 작업 기억에서 시각 입력과 청각 입력은 서로 통합되면서 장기 기억(Long-Term Memory)에 저장된다.

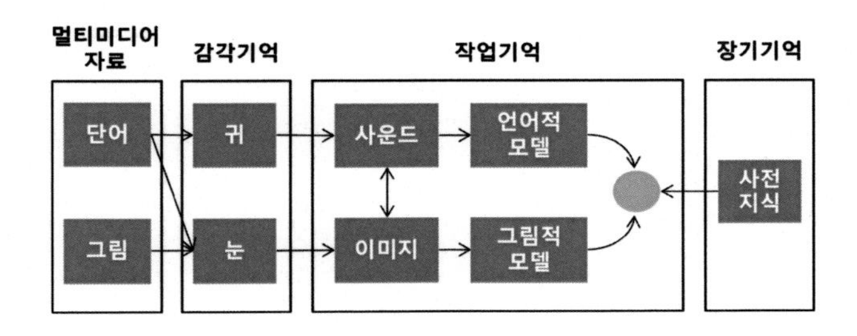

학습자가 새로운 단어를 배우는 과정을 설명하면 다음과 같다. 학습자가 시각 정보(단어와 단어를 연상시키는 그림)와 청각 정보(단어의 발음)를 함께 이용하여 단어를 학습할 때, 이 두 가지 종류의 정보는 먼저 감각 기억을 통해 받아들여진다. 이후, 학습자의 작업 기억은 단어의 발음과 이미지를 연결하여 정보를 이해한다. 그리고 이 정보를 기존의 언어 지식과 통합하여 장기 기억으로 전송하게 된다. 즉 단어를 암기할 때 단순히 눈으로만 보는 것이 아니라, 단어의 발음을 듣거나 입으로 소리내면서 외우면 더욱 효과적으로 기억할 수 있다는 결론이 나온다.

적절한 예문 또한 중요하다. 글을 읽을 때는 문장의 맥락도 읽게 되는

데, 단어는 문장 안에서 맥락적으로 읽힌다. 어휘를 학습할 때 예문이 중요한 것이 바로 이 때문이다. 예문 없이 단어만 따로 외우는 것은 죽은 어휘를 습득하는 것과 마찬가지이다.

예문도 좋은 예문과 나쁜 예문이 있다. 좋은 예문은 단어의 의미를 맥락 속에서 자연스럽게 이해할 수 있게 하며, 나쁜 예문은 해당 단어의 독특한 의미나 사용법을 명확하게 드러내지 못한다. 생소한 단어가 있더라도 좋은 예문에서는 맥락에 의해서 간접적으로 그 뜻을 알 수 있으므로, 좋은 맞춤형 예문은 어휘 학습을 돕는 데 큰 역할을 한다. 예를 들어 'empathy'라는 영어 단어를 외울 때 위의 두 예문을 사용한다고 가정하자.

예문 1. The girl feels empathy for the puppy.

예문 2. The girl cried during the movie, feeling empathy for the lost puppy.

1번 예문에서는 empathy가 가진 '공감'이라는 의미를 돋보이게 하는 장치를 찾아볼 수 없다. 반면 2번 예문에서는 'The girl'이 어떤 영화를 보고 울었고, 이는 길을 잃어버린 강아지로 인해 느낀 감정과 'empathy'라는 단어를 통해 연결된다. 따라서 'empathy'라는 단어 학습에 더 적절한 예문은 2번 예문이다.

어휘 학습 툴을 통한 어휘 학습 최적화 전략

지금까지 살펴본 사항들을 고려하여 어휘를 습득을 할 수 있는 학습 툴들이 이미 존재한다. 이에 완벽하게 부합하는 애플리케이션 중 하나로 '퀴즐렛(Quizlet)'이 있다. 필자는 퀴즐렛 하나로 어휘 학습에 대한 고민을 대부분 해결할 수 있었기 때문에, 아직도 이 애플리케이션을 가장 즐겨 사용하고 있다.

퀴즐렛은 사용자들이 다양한 언어와 주제에 대한 어휘로 학습 세트를 만들어, 반복적이고 체계적인 어휘 학습이 가능하게 한다. 학습 세트를 만들 때는 글자뿐만 아니라 단어에 적합한 이미지까지 추가할 수 있다. 퀴즐렛의 핵심은 시각 입력과 청각 입력을 통합한 체계적이고 효율적인 반복 학습이다. 학습을 시작하면 단어가 나오면서 발음이 오디오로 나온다. 객관식 학습에서는 그 단어의 뜻을 주어진 4개의 보기에서 골라야 한다. 그리고 주관식 학습에서는 단어의 뜻을 써서 정답을 맞춰야 한다. 또한 정답 체크를 할 때 다시 한 번 오디오를 통해 단어를 들려준다.

퀴즐렛에서는 학습 목표에 따라 두 가지 학습 모드가 제공된다. 당장 눈앞에 닥친 시험에 대비하기 위한 '빠르게 학습하기' 모드와 기간을 길게 잡고 어휘를 체계적으로 쌓기 위한 '모두 암기하기' 모드이다. 학습자는 각각의 모드를 학습 세트에 자유롭게 적용할 수 있다. 자신이 만든 학습 세트를 다른 유저와도 공유할 수 있고, 다른 유저가 공개한 학습 세트를 저장 및 편집해서 자유롭게 사용할 수 있는 것도 퀴즐렛의 장점이다. 필자 역시 시행착오 끝에 퀴즐렛을 활용하여 최적화된 어휘 학습

전략을 만들었다.

퀴즐렛을 이용하려면 우선 학습 세트를 만들어야 한다. 하나의 학습 세트에는 하루 동안 암기할 단어를 입력한다. 필자는 평소에 한 시간 전부 외울 수 있는 만큼의 단어를 입력한다. 하루에 할당된 단어의 양이 너무 적거나 너무 많다면 추후에 조절하는 것을 권장한다.

단어를 입력할 때 단어의 뜻뿐만 아니라 단어를 연상시키는 이미지와 적절한 예문을 포함시키는 것이 중요하다. 예를 들어 'empathy'라는 영어 단어에는 다른 사람을 위로해 주는 이미지와 좋은 예문 하나를 첨부한다.

위와 같은 방법으로 학습할 단어들을 모두 입력하고 학습 세트를 완성했다면, 이제 본격적인 어휘 학습을 위해 다음과 같은 순서대로 진행한다.

Step 1. '학습하기'를 누르면 학습이 시작된다. 옵션에서 객관식 모드 또는 주관식 모드를 자유롭게 선택할 수 있다. 오디오로 나오는 발음을 직접 소리 내어 따라한다.

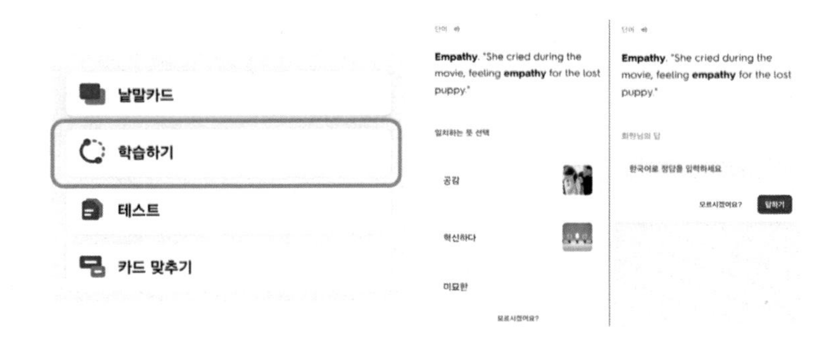

Step 2. 모든 단어의 학습 현황이 '완전히 외움'으로 될때까지 학습을 계속 진행한다. 뜻이 확실할 때만 정답을 입력하고, 조금이라도 확신이 들지 않으면 '모르시겠어요?'를 클릭하고 넘어간다.

Step 3. 학습이 모두 끝났다면 이제 테스트를 해 볼 차례이다. 테스트에는 학습한 모든 단어를 포함시키고 주관식 문항으로만 한

다. 만점을 받을 때까지 계속해서 테스트를 한다. 테스트에서 자주 틀린 단어는 따로 별표를 해 두는 것도 좋다. 이렇게 하면 1일차 학습이 끝나게 된다.

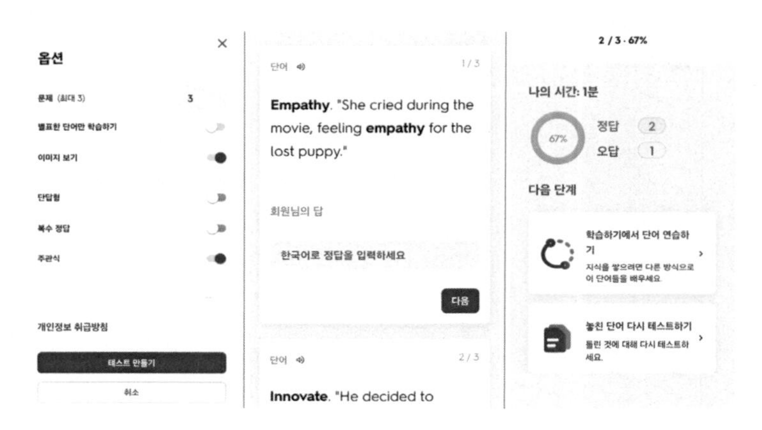

Step 4. 다음날 새로운 2일차 학습 세트로 전환한다. 그리고 Step 1부터 Step 3까지의 과정을 똑같이 반복한다.

기억은 휘발성이 높다. 따라서 반복 없이 한 번만 학습한 단어는 쉽게 까먹게 될 것이다. 어휘 학습은 복습이 핵심이다. 습득한 단어는 지속적인 복습을 통해서 장기 기억으로 전환시켜야 한다. 14일 차까지 학습했다면 다시 1일 차 학습 세트로 돌아가서 복습을 시작한다. 1일 차부터 14일 차까지 학습하는 것을 한 사이클로 하여, 복습까지 총 3사이클을 학습하도록 한다. 두 번째 사이클부터는 하루에 2일 분량의 학습 세트를 복습한다.

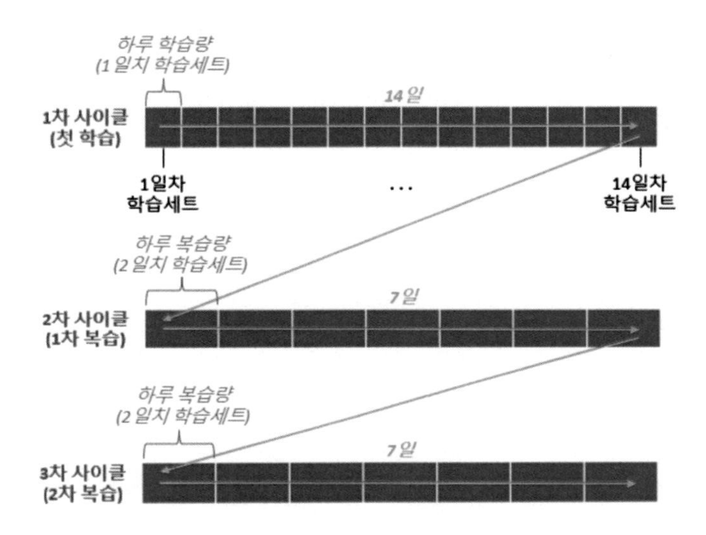

단어를 외운지 2주가 지났으므로 많은 단어의 뜻이 기억나지 않을 것이다. 하지만 이미 한 번 외웠던 단어는 복습할 때 훨씬 더 적은 시간이 걸린다. 이것을 실제 실험으로 입증하면서 기억과 망각에 대한 이론을 정립한 사람이 바로 보유곡선 또는 망각곡선으로 유명한 독일의 심리학자 헤르만 에빙하우스(Hermann Ebbinghaus)이다. 에빙하우스는 일정한 기간 동안 복습을 분산시키면 더 효과적인 학습이 가능하다는 주장을 했다. 이를 일명 '간격 효과'라고 한다.

복습의 간격은 짧으면 짧을수록 좋지만 수백 수천 개의 단어를 짧은 기간 안에 다시 복습하기에는 시간적 부담이 크다. 필자는 여러 번의 실험 끝에 1일차부터 14일차까지의 단어를 1번 학습하고 2번 복습하는 식으로 진행하였다. 그 후 14개의 새로운 학습 세트를 만들어서 이전과 똑같이 학습함으로써 학습 능률을 극대화했다. 이러한 방식이 모든 사람에게 잘 맞을 거라고는 생각하지 않는다. 그러므로 각 학습자의 성향과 상황에 맞게 학습법을 최적화하는 것이 필요할 것이다.

헷갈리는 단어들 한 번에 외우기 – 인공지능을 활용한 예문 생성

어휘 학습을 하다 보면 유독 외우더라도 금방 잊어버리는 단어가 있기 마련이다. 또는 다른 단어와 비슷하게 생겨서 뜻이 헷갈리는 단어도 있다. 예를 들어 'Compliment', 'Complement', 'Complimentary'라는 세 개의 영어 단어를 보면 스펠링도 유사하고 발음도 비슷하기 때문에 자주 혼동된다. 만약 이 세 단어들을 한 데 묶어서 한 번에 외우고자 한다면 인공지능을 이용하여 헷갈리는 단어들을 이용한 예문을 만들면 된다.

You
Compliment, Complement, Complimentary의 뜻이 헷갈려. 이 단어들을 이용해 문장을 하나 만들어줘.

ChatGPT
"Receiving a compliment on my presentation was as satisfying as finding the perfect complement for my outfit, and the complimentary coffee at the conference made the day even better."

You
Literal, literate, literary라는 단어가 모두 들어간 문장을 3개만 만들어줘.

ChatGPT
1. "In a literal sense, becoming literate opens the door to a rich literary world, where the power of words can transport you to different realms."
2. "The literary festival aimed to celebrate the joy of reading among those who are literate, showcasing works that ranged from the literal interpretations of life to the fantastical."
3. "Her literate mind appreciated the literary references scattered throughout the novel, each a literal nod to the classics she had grown to love."

헷갈리는 단어들이 포함된 예문으로 단어를 외우는 방법은 예전부터 유용하게 쓰였던 학습법이다. 그러나 최근 'ChatGPT'와 같은 대화형 인공지능이 등장하면서 그 효율성이 극대화되었다. 이제는 챗봇에게 단어들을 던져 주면 이들을 이용하여 자연스러운 문장을 원하는 만큼 자동으로 생성해 준다. 인공지능의 발달로 외국어를 한층 더 효과적으로 습득할 수 있는 시대가 도래한 것이다.

끝으로 이번 장의 핵심을 요약하면 다음과 같다.

- 외국어 학습의 핵심 요소는 높은 사용 빈도의 어휘를 중심으로 학습하는 것이다. 이 방법은 일상 대화에서 자주 사용되는 단어를 익힘으로써 효율적인 언어 습득을 가능하게 한다.
- 시각적 자료와 청각적 자료의 결합은 어휘 학습의 효율을 높이는 데 기여한다. 더불어, 적절한 예문을 사용하는 학습 방법은 단어의 이해력과 기억력을 크게 강화시킨다.
- 퀴즐렛을 활용하면 체계적이고 반복적인 방식으로 시각적 및 청각적 자료를 통합해 어휘를 학습할 수 있다. 일정한 간격으로 이루어지는 복습을 통해 단어를 장기 기억에 저장하는 효과적인 방법이다.
- ChatGPT와 같은 생성형 인공지능을 활용한 예문 생성은 헷갈리는 단어들을 구분하고 기억하는 데 유용하다.

외국어 듣기 정복하기 - 집중듣기와 흘려듣기

당신이 외국어 듣기에 어려워하는 이유

많은 외국어 학습자들이 골치 아파하는 것이 바로 듣기이다. 외국인과 직접 만나서 커뮤니케이션을 하다 보면 상대의 말이 무슨 뜻인지 제대로 이해되지 않아 답답하고 난처했던 경험을 한 적이 있을 것이다. 상대가 정확히 어떤 얘기를 하는 건지 모르면 대화가 매끄럽게 이어지지 못하고 외국어 커뮤니케이션에 대한 자신감도 상실하기 쉽다. 최악의 경우 완전히 잘못 이해해서 문제가 발생하는 경우도 있다.

필자 역시 독일에서 유학 생활을 할 때 듣기가 가장 큰 골칫덩어리였다. 하지만 듣기를 빠르게 향상시킬 방법을 고민하고 학습법을 깨우치면서 1년 만에 독일어 듣기 능력을 비약적으로 향상시킬 수 있었다.

이 학습법을 소개하기 전에 우선적으로 고민해 봐야 할 것이 있다. 그것은 왜 우리가 듣기에서 고전을 면치 못하는지에 대한 물음이다. 필자는 독일어를 들었을 때 내용을 잘 이해하지 못하는 원인을 분석해 본 적이 있다. 문장 안에 모르는 어휘가 있어서인 경우는 생각만큼 많지 않았다. 또한 단순히 어휘를 모르기 때문에 이해하지 못한 거라면 해결법은 매우 단순하다. 어휘 학습을 더 열심히 하는 것이다. 게다가 단어를 몰라서 들은 말을 이해 못한 것이라면 별로 억울하지는 않다. 그런데 문제는 읽으면 충분히 이해하지만, 막상 들으면 이해하지 못하는 케이스이다. 여기에는 사실 다양한 이유들이 존재한다. 연구자들은 아래의 사항들을 외국어 학습자들이 외국어를 듣고 이해하는 걸 힘들게 만드는 고질적인 원인으로 지적한다.

1. 강세, 연음, 억양 등에 익숙하지 못하다.
2. 들리는 단어 하나하나에 집중한다.
3. 문장이 너무 길거나 구조가 복잡하다.
4. 듣기 수준에 비해 말하는 속도가 너무 빠르다.

외국어 듣기 능력의 향상은 위의 네 가지 핵심 문제를 해결하는 데서 시작된다. 외국어 듣기 훈련이 되어 있지 않으면 마치 잡음이 섞인 것처럼 들린다. 하지만 듣기 능력이 점차 개선되면서 예전에는 이해할 수 없었던 소리가 명확한 단어로 인식되고 발화자의 말하는 속도를 따라가며 맥락을 파악할 수 있게 된다. 듣기 학습의 최종 종착지는 원어민의 발화 속도와 학습자의 이해 속도가 일치하도록 만드는 것이다. 이것이 바로 외국어에 대한 '귀가 뚫리는' 것이라고 할 수 있다.

듣기 학습에는 두 가지 학습법이 존재한다. 하나는 집중듣기(Intensive Listening)이고, 다른 하나는 흘려듣기(Extensive Listening)이다. 이름을 붙이니 거창하게 들리지만, 사실은 외국어 공부를 해 본 사람이라면 누구에게나 익숙한 방법들이다.

다만 각 학습법에는 간과해서는 안 될 중요한 원칙이 있다. 우리가 지금껏 외국어 듣기 학습 효율을 100% 끌어내지 못한 이유는 그러한 원칙을 지키지 못했기 때문이다. 외국어 듣기를 어렵게 하는 네 가지 원인들을 모두 해결하기 위해서는 집중듣기와 흘려듣기를 적절히 섞어서 훈련하는 것이 필수이다. 두 학습법은 학습 시 중점을 두는 사항과 학습 자료에서 서로 차이가 크다.

집중듣기: 고밀도 반복을 통해 패턴 익히기

집중듣기(Intensive Listening)는 특정한 듣기 자료를 여러 차례 반복적으로 듣는 방법이다. 집중듣기는 한정된 듣기 자료를 활용한 단어 단위 또는 문장 단위의 학습이 주요 목표다. 이 방법의 가장 큰 장점은 바로 언어의 패턴을 익힐 수 있다는 것이다. 집중듣기를 학습할 때는 단순히 멍하니 듣지 말고 다음의 패턴들에 집중하며 듣도록 한다.

첫 번째 패턴 요소는 강세(Stress)이다. 단어의 강세는 의미 전달에 큰 영향을 미친다. 강세는 단어 내 특정 음절을 더 크거나 높거나 길게 발음하면서 단어의 의미를 명확히 하고, 듣는 이에게 정확한 메시지를 전달 한다. 예를 들어, 'record'라는 단어는 미국식 영어에서 명사일 때와 동사일 때 강세의 위치가 달라진다. 명사로 사용될 때는 첫 번째 음절에 강세를 두며 ('REcord'), 동사로 사용될 때는 두 번째 음절에 강세를 둔다('to reCORD').

REcord

to reCORD

두 번째 패턴 요소는 억양(Intonation)이다. 문장 단위에서는 억양이 중요한 역할을 한다. 예를 들어 영어에서는 명사, 동사, 형용사 같이 문장에서 핵심적인 역할을 하는 단어들을 비교적 느리고 정확하게 발음한다. 반면 'and', 'the', 'a', 'on', 'the' 등과 같이 부가적인 역할을 하는 단어들은 약하게 발음하면서 뒤에 오는 명사나 동사와 함께 연음 처리가 되어 순식간에 지나가게 된다.

He **goes** to the **park** to **play soccer** with his **friends** on **saturday**.

또한 문장의 모든 단어를 똑같은 음높이로 발음하지 않는다. 억양은 문장의 종류 즉 질문인지, 명령인지, 또는 서술인지에 따라 달라지며, 특정한 감정을 전달할 때도 달라질 수 있다. 예를 들어, 영어에서 'Are you coming with us?'와 같은 의문문은 끝부분의 억양을 올려 주면서 의문을 나타내지만, 'He moved to a new city last year.'와 같은 평서문에서는 문장의 끝을 내려 주는 억양을 사용한다.

Are you coming with us?

He moved to a new city last year.

세 번째 패턴 요소는 바로 언어 패턴이다. 인간의 뇌는 받아들인 정보를 처리하는 속도에 한계가 있다. 외국어 듣기를 하다 보면 자신의 외국어 문장 처리 한계를 넘어갈 정도로 길거나 복잡한 문장을 종종 접하게 된다. 이때 우리의 뇌는 앞서 받아들인 정보를 처리하느라 뒤에 오는 정보를 받아들이지 못하고 그냥 흘려보내는 경우가 생긴다. 이로 인해 심리적으로 더 불안하고 초조함을 느끼게 된다. 이러한 심리적인 악영향은 또다시 외국어 이해 능력에 부정적인 영향을 끼친다. 이런 도미노 효과를 막기 위해서는 들리는 단어 하나하나에 집중하는 버릇을 버려야 한다. 만약 몇몇 단어를 덩어리로 나눠서 인식할 수 있다면 처리할 정보의 갯수를 줄일 수 있다.

언어 패턴은 우리가 일상에서 자주 사용하는 단어 조합을 말한다. 예시로 영어에는 'I am going to…' 또는 'It is… to…' 라는 언어 패턴이 있다.

I am going to exercise more because **it is** essential **to** maintain good health.

I am going to study abroad next year, and **it is** exciting **to** learn about new cultures.

I am going to volunteer at the local animal shelter, as **it is** important **to** support community services.

집중듣기에는 이러한 패턴들을 인식하고 집중적으로 분석하는 과정이 포함된다. 언어의 패턴을 익혀서 전체 문장을 몇 개의 덩어리로 나누어 들을 수 있게 되면 결과적으로 일정 속도 이상으로 말이 빨라지더라도 언어 정보를 효율적으로 처리할 수 있게 된다.

집중듣기는 단순히 듣기만 하는 것이 아니다. 듣기 자료의 내용을 패턴 중심으로 분석하고 직접 입으로 따라하며 반복적으로 연습하는 과정이 반드시 필요하다. 이것이 집중듣기의 핵심 원칙이라고 할 수 있다.

끝으로 집중듣기를 위한 짤막한 팁을 하나 있다. 공부를 하다보면 특정 표현이 어떤 상황에서 어떻게 쓰이는지 실제로 보거나 듣고 싶을 때가 있다. 이러한 궁금증을 해소시켜 줄 수 있는 사이트가 있다. 필자도 매우 유용하게 사용하는 'Youglish.com'이다. 이 사이트의 검색창에 원하는 표현을 입력하면 YouTube에서 해당 표현이 사용된 비디오 클립들을 모아서 제공한다. 각 클립은 우리가 검색한 표현이 있는 부분부터 보여주기 때문에 전체 영상을 볼 필요 없이 딱 필요한 부분만 볼 수 있어서 편리하다. 예를 들어 'What took you so long?'이라는 표현을 검색하면, 원어민들의 실제 대화에서 이 표현이 어떻게 사용되는지 보여주는 32개의 유튜브 클립이 나온다.

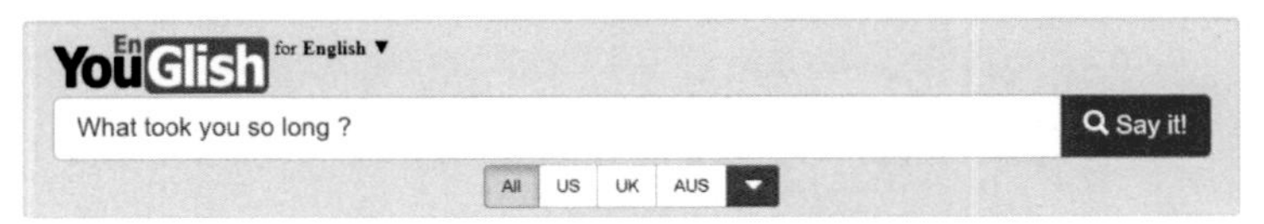

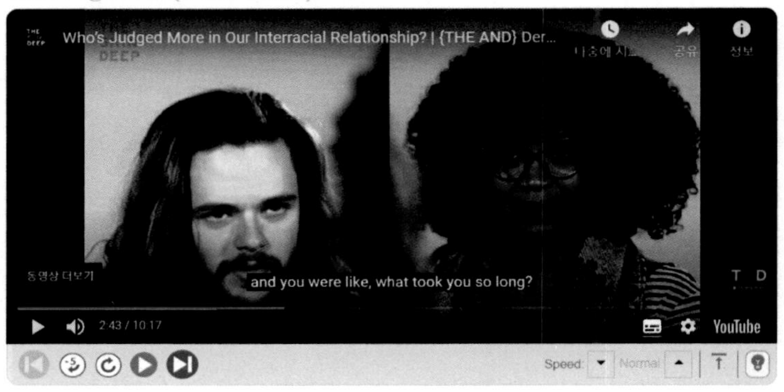

문장 표현뿐만 아니라 단어 하나만 검색해도 그 단어가 어떤 맥락에서 쓰이는지 알 수 있다. 또한 영어뿐만 아니라 독일어, 중국어, 프랑스어, 일본어, 아랍어 등 다양한 언어 학습을 지원한다. 특정 표현이나 단어의 실제 사례를 집중적으로 살펴볼 수 있으므로 자연스러운 외국어 습득에 큰 도움이 될 것이다.

흘려듣기: 자연스러운 언어 습득을 위한 일상 속 침투

집중듣기가 음절 단위로부터 문장 단위까지 분석하는 방식이라면, 흘려듣기는 이와 정반대이다. 집중듣기를 통해 다진 언어적 이해를 바탕으로 다양하고 막대한 양의 인풋(Input)을 받아들이고 처리하는 학습법이 바로 흘려듣기이다. 따라서 집중듣기가 선행되지 않는다면 흘려듣기는 무용지물이다.

영어 공부를 한다는 이유로 아무 생각 없이 일상생활에서 BBC나 CNN같은 영어 뉴스를 틀어놓는 사람들이 많다. 이러한 방식은 실제로 말을 배우기 시작하는 아이가 모국어를 자연스럽게 습득하는 방법이기도 하다. 그러나 사실상 언어 중추가 이미 발달한 성인이 같은 방식으로 외국어를 습득하기는 매우 어렵다. 일반적으로 뉴스는 수준 높은 어휘로 다양한 주제를 다룬다. 게다가 해당 외국어에 능숙하지 못하다면 아나운서의 말하는 속도가 빠르게 느껴질 수밖에 없다. 결론적으로 외국어를 능숙하게 구사하는 학습자가 아닌 이상 뉴스를 만족스럽게 이해하기란 매우 힘들 것이다.

스티븐 크라센은 다른 사람들이 말하는 것을 이해할 때 비로소 언어를 습득할 수 있다고 강조했다. 즉 외국어를 배우기 위해서는 이해할 수 있는 입력(Comprehensible Input)이 필요하다는 것이다. 단순히 영어 뉴스를 하루 종일 듣는다고 해도 학습자가 이해하지 못한다면 그것은 외국어 습득에 유용한 정보가 아니라 단지 소음에 불과하다는 의미이다.

이해가 되지 않으면 외국어 습득이 이루어지지 않고, 성과가 나오지 않으면 학습자는 흥미를 잃으면서 학습 동기가 약해진다. 그러다 보면 결국은 언어습득이 실패로 끝나게 된다. 그러므로 지속 가능한 학습을 위해 자신의 수준에 맞는 듣기 자료를 선정하는 것이 필요하다.

흘려듣기에서 스크립트를 사전에 보고 분석해야 이해가 갈 정도로 어려운 듣기 자료는 금물이다. 1장에서 소개한 다독에서는 Five Finger Rule 테스트를 통해 자기 수준에 맞는 책을 골랐다. 흘려듣기에서도 이와 마찬가지로 너무 어렵지 않은 적절한 난이도의 듣기 자료를 고른다. 언어학자 힐데 판 질란트(Hilde van Zeeland)에 의하면 흘려듣기 학습자들은 듣기 자료 스크립트 중 최소 90%의 어휘를 알아야 효과적인 학습이 가능하다는 연구 결과를 발표하였다.

발화 속도 또한 듣기 자료 선별의 중요한 기준이다. 영어 원어민 기준으로 평균적인 발화 속도는160-190WPM(Word per Minute)이다. 원어민의 경우 300WPM 이상의 속도까지 이해가 가능하지만, 영어 학습자는 발화 속도가 190WPM보다 더 빠른 경우 효과적인 학습이 힘들다. 따라서 190WPM이하의 자료로 학습하는 것을 추천한다. 공인 영어 시험으로 잘 알려진 토익(TOEIC), 토플(TOEFL), 아이엘츠(IELTS)와 TED 강연 등이 200WPM 이하의 평균 발화 속도에 해당한다. 만약 원어민의 대화가 너무 빠르게 느껴진다면 더 천천히 말하는 학습 자료를 찾거나 듣기 플랫폼에서 느린 속도로 조절할 필요가 있다.

필자는 독일어 학습을 위해 흘려듣기를 1년 정도 실시하였다. 하루에 한 시간도 투자하지 않았는데 1년 후에는 이전과 비교하면 언어 이해 능력에서 엄청난 발전을 보였다. 지속가능한 듣기 학습을 위해서는 다독과 마찬가지로 학습 자료가 어려워서도 안될 뿐더러 학습자가 주제에 흥미를 가져야 한다. 필자가 지금도 꾸준히 하고 있는것이 바로 흘려듣기이다. 하루에 버스나 기차 같은 대중교통을 30~40분 정도 이용하는데, 그 시간 동안에는 온전히 내가 관심있어 하는 팟캐스트를 골라 청취한다.

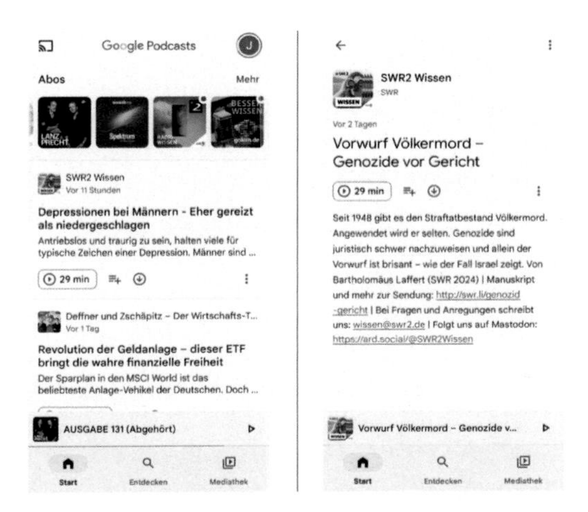

가장 즐겨 사용하는 팟캐스트 플랫폼은 구글 팟캐스트(Google Podcasts)로, 일상, 사회, 역사, 과학 등 다양한 주제를 다루는 8개 채널을 구독하고 있다. 유튜브 또한 듣기 자료를 찾을 수 있는 좋은 소스이다. 유튜브에서도 많은 팟캐스트 채널이 운영되고 있다.

흘려듣기의 핵심 원칙은 방대한 양의 인풋을 일상에서 지속적으로 자연스럽게 받아들이는 것이다. 만약 제대로 된 학습 자료를 선정했다면 그때부터 우리의 귀에 들리는 것은 소음이 아니라 저절로 귀를 쫑긋하게 만드는 흥미로운 이야기가 된다. 그러면 자연스럽게 맥락을 따라가며 콘텐츠 내용에 온전히 집중할 수 있게 된다.

개인적으로 듣기 학습을 하면서 뿌듯하고 가슴 벅찬 순간이 바로 이 순간이다. 흘려들으면서 무의식적인 집중 또는 몰입 상태로 진입할 수 있다면 흘려듣기를 통해 지속 가능한 듣기 학습에 한 발짝 더 가까이 다가선 것이다.

끝으로 이번 장의 핵심을 요약하면 다음과 같다.

- 외국어 듣기의 어려움은 강세, 연음, 억양에 익숙하지 않음, 단어 하나하나에 집중하는 습관, 문장의 길이나 구조의 복잡성, 그리고 발화 속도가 빠르다는 점에서 기인한다.
- 집중듣기와 흘려듣기는 외국어 듣기 능력 향상에 있어 상호 보완적인 두 가지 중요한 학습법이다. 각각의 방법은 언어 패턴 인식과 일상 속에서 자연스러운 언어 노출을 강조한다.
- 집중듣기는 언어의 패턴을 익히는 데 중점을 두며, 강세, 억양, 언어 패턴에 집중하여 반복적으로 연습함으로써 듣기 이해력을 향상시킨다.

외국어 말하기 정복하기 - 인풋, 아웃풋, 인터랙션

집에서 외국어 회화 마스터가 가능할까?

외국어 학습의 최종 종착지는 바로 자유로운 실시간 커뮤니케이션이다. 원어민과의 능숙한 회화야말로 모든 외국어 학습자들이 꿈꾸는 이상향이다. 그러나 말하기 영역은 대부분의 외국어 학습자들이 좌절을 겪는 부분이기도 하다. 대부분의 외국어 학습자들은 다소 불친절한 외국어 습득 환경에 놓여 있기 때문이다. 자주 읽어야 읽기 능력이 향상되고 자주 들어야 듣기 능력이 향상된다. 이는 말하기도 마찬가지이다.

말하기는 단순히 머릿속으로 외국어 문장들을 떠올리는 것만으로는 연습할 수 없다. 하지만 현지에서 직접 부딪혀 가며 배우는 게 아닌 이상 언어를 사용할 기회는 극히 적다. 이는 말하기 능력 향상을 저해하는 가장 큰 이유다. 그래서 원어민 전화, 화상통화 등을 시도하거나 회화 학원에 등록하는 학습자들이 많다. 바로 외국어 회화 연습을 통해 자꾸 소리내어 말하고 들어야 본인의 틀린 점을 피드백 받을 수 있는 기회가 생기기 때문이다.

이런 맥락에서 말하기 능력 향상을 위한 세 가지 요소를 살펴볼 필요가 있다. 그것은 바로 인풋(Input), 아웃풋(Output), 인터랙션(Interaction)이다. 이 요소들에 단계적으로 접근하면 집에서 혼자 외국어를 공부하는 학습자들도 말하기 능력을 비약적으로 향상시키는 것이 가능하다.

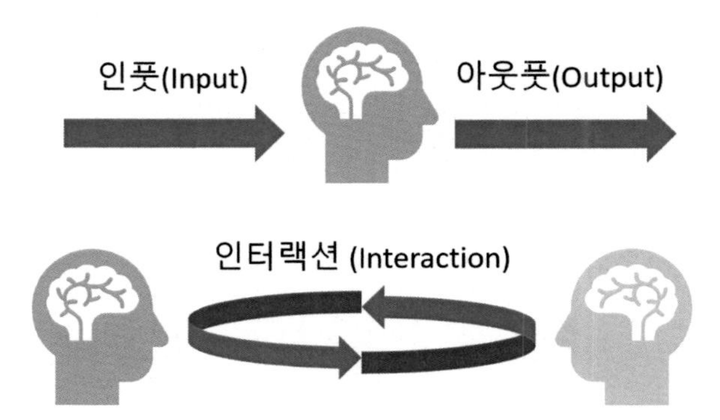

인풋은 우리가 눈이나 귀로 얻는 정보를 머릿속에 입력하는 행위를 뜻한다. 읽기나 듣기 활동이 이에 속한다. 아웃풋은 말하기와 글쓰기를 통해 머릿속의 정보를 처리하여 학습자가 새로운 정보를 생산해 내는 행위이다. 인터랙션은 인풋과 아웃풋을 연결해 주는 상호작용 과정으로, 예를 들면 외국어 학습자의 말하기를 원어민이 피드백하여 교정된 인풋을 통해 외국어 습득을 촉진시키는 행위가 이에 속한다. 이 세 가지 요소를 단계적으로 활용하는 학습법을 소개하고자 한다.

1단계: 인풋

성인이 외국어를 학습하면서 모국어처럼 생각하고 말하기란 거의 불가능에 가까운 것이 사실이다. 그러나 어떤 의미에서 언어 능력은 상당히 정직하다. 얼마나 오래 그리고 얼마나 많이 인풋을 내 것으로 체화시키는지가 학습자의 언어 구사 능력을 판가름하기 때문이다. 이는 마치

근성장을 위해 꾸준히 헬스를 하면서 근육에 점진적인 스트레스를 주는 것과 유사하다.

인풋이 없다면 아웃풋도 발생할 수가 없다. 상황에 맞는 단어나 문장을 접해 본 적이 없다면 그것들을 활용하기란 불가능할 것이다. 앞에서 소개한 바 있는 다독, 집중듣기, 흘려듣기가 바로 인풋의 도구로, 이를 통해 전반적인 인풋을 늘리면 이것이 결과적으로 아웃풋을 위한 기틀이 된다.

모국어를 익힐 때는 상황에 어울리는 말을 지어내는 방법을 어려서부터 배운다. 이를 통해 상황을 맥락에 맞게 설명하거나 내 기분을 서술하는 문장들 가운데 자주 쓰이는 표현들을 쉽게 찾을 수 있다. 언어에는 이렇듯 패턴이라는 것이 있다. 이전 장에서 다룬 집중듣기의 패턴 요소 중 언어 패턴이 바로 그런 개념이라고 할 수 있다.

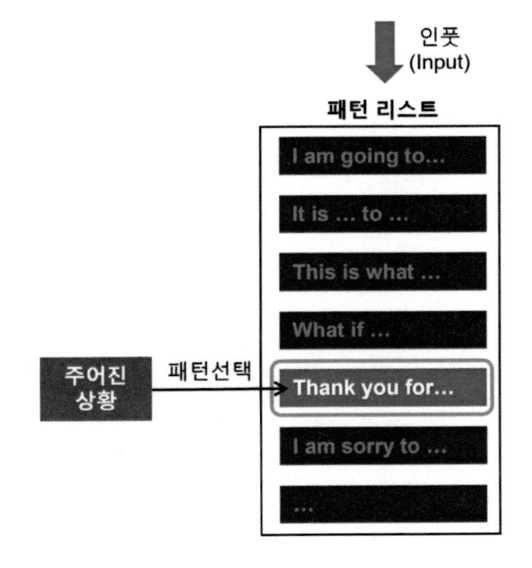

풍부한 인풋은 외국어 말하기의 필수적인 토양이 된다. 외국어를 학습할 때 다양한 상황에 적합한 여러 가지 언어 패턴을 익히는 것은 회화 능력을 향상시키는 핵심이기 때문이다. 다양한 언어 패턴들은 우리가 필요한 순간에 적절하고 자연스러운 표현을 즉각적으로 꺼내 사용할 수 있게 하는 '언어의 바구니'를 제공한다. 인풋이 많아질수록 이 바구니는 더욱 다양하고 풍부한 언어적 자원으로 가득 차게 된다.

2단계: 아웃풋

스티븐 크라센을 중심으로 인풋의 중요성을 강조하는 인풋 이론(Input Hypothesis)이 널리 인정받고 있지만, 아웃풋의 중요성 역시 학계에서 활발히 논의되고 있는 주제이다. 많은 학자들과 학습자들은 언어 습득을 위해 지속적인 말하기 연습, 즉 아웃풋 생성도 필요하다는 데 동의한다. 경험에 따르면 아웃풋 없이는 언어 습득 과정이 완성되기 어렵다고 본다. 이는 인풋이 언어 지식을 쌓는 과정이라면, 아웃풋은 그 지식을 활용하고 내재화하는 과정이기 때문이다.

'1단계: 인풋'에서 살펴보았듯이, 외국어를 써야 하는 상황이 주어지면 우리는 그 상황에서 쓸 만한 패턴을 머릿속에서 찾기 시작한다. 적절한 패턴을 찾았다면 거기에 맥락적으로 들어맞는 단어들을 신속히 찾아내 패턴을 가공한다. 문장이 완성되면 이를 입으로 발화한다. 이 과정을 도식화하면 아래와 같이 나타낼 수 있다.

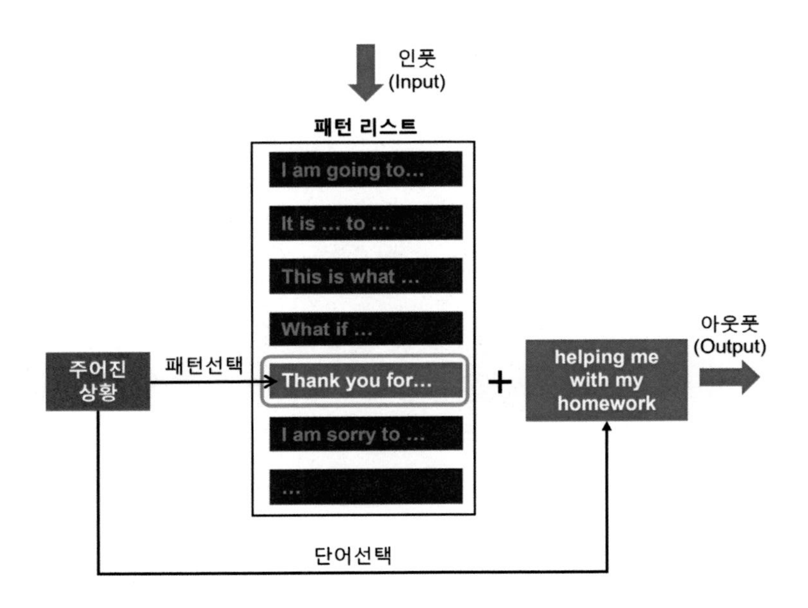

예를 들어 영어를 배우는 학습자가 숙제를 도와준 친구에게 감사의 마음을 표현하고 싶어 한다고 해 보자. 그러면 먼저 '감사'를 표현하는 데 적합한 패턴을 떠올린다. 이때 'Thank you for [doing something]'라는 패턴을 생각해 낼 수 있다. 그런 다음 여기에서 '[doing something]' 부분을 상황에 맞는 구체적인 내용으로 채워넣음으로써, 'Thank you for helping me with my homework'와 같은 문장을 생성할 수 있다. 만약 그 후에 똑같은 상황을 다시 마주하면 이 과정은 더욱 신속하고 원활하게 진행된다. 경험이 쌓이면 패턴 고르기와 단어 찾기에 소모되는 시간이 줄어들기 때문이다. 여유가 생긴다면 패턴에 약간의 변형을 주어 다양한 표현을 하는 것도 가능해진다.

환경적인 이유로 인해 많은 외국어 학습자들은 외국어로 대화할 기회가 부족한 것이 사실이다. 한국에서 외국어를 배우는 학습자들뿐만 아니라, 현지에서 언어를 배우는 학습자들 역시 처한 상황에 따라 아웃풋을 만들어 내는 양이 부족하다고 느낄수 있다.

아웃풋을 연습할 기회가 없다면 직접 만들어야 한다. 필자는 독일에서 거주하면서 어떻게 하면 독일어 아웃풋을 지금보다 더욱 늘릴 수 있을까 항상 고민했다. 그래서 집에서 혼자 있거나 샤워할 때도 혼자 문장들을 중얼거리거나 발음 연습을 하곤 했다. 독일어 단어 중에는 'Wettbewerb(경쟁, 대회)'라는 단어가 있는데, 이 단어를 발음할 때마다 혀뿐만 아니라 입술까지 꼬이곤 했다. 그래서 이 단어가 들어간 문장들을 만들어 집에 혼자 있는 동안 틈날 때마다 연습했던 적이 있다. 침대에 누워서 잘 때, 요리할 때, 운동할 때를 가리지 않았다. 그리고 독일의 연구소에서 석사 논문을 쓰게 되면서 인터뷰를 했던 적이 있다. 그래서 인터뷰 며칠 전부터 샤워할 때마다 인터뷰 시 예상되는 질문을 머릿속으로 생각한 뒤에 소리 내어 독일어로 대답하곤 했다. 일종의 1인극을 한 셈이다. 학습자들은 제한된 상황에서 자신만의 방법을 찾아 아웃풋의 기회를 만들어 내야 한다. 이런 식의 아웃풋 생성은 그것 자체로도 귀중한 연습 기회가 되기 때문이다.

3단계: 인터랙션

외국어 학습에서 인터랙션은 아웃풋이 새로운 인풋 및 아웃풋으로 변환되는 과정에서 중요한 역할을 한다. 이 과정은 학습자가 상대방의 말을 듣고, 피드백을 받는 것을 포함한다. 원어민의 피드백은 학습자에게 인풋으로 작용되고 다시 수정된 아웃풋이 이어지게 된다. 이것이 인터랙션의 핵심적인 과정이다.

이러한 상호 작용은 실시간으로 이루어지며, 실제로 커뮤니케이션 상황에서의 외국어 사용 능력 향상을 크게 촉진시킨다. 예를 들어 원어민과의 대화에서 자신의 발화에 대한 반응을 즉각적으로 관찰함으로써 어떤 표현이 효과적이고 자연스러운지를 체득할 수 있다. 따라서 틀린 표현을 바로잡아 주는 피드백은 말하기 학습에서 필수적이다.

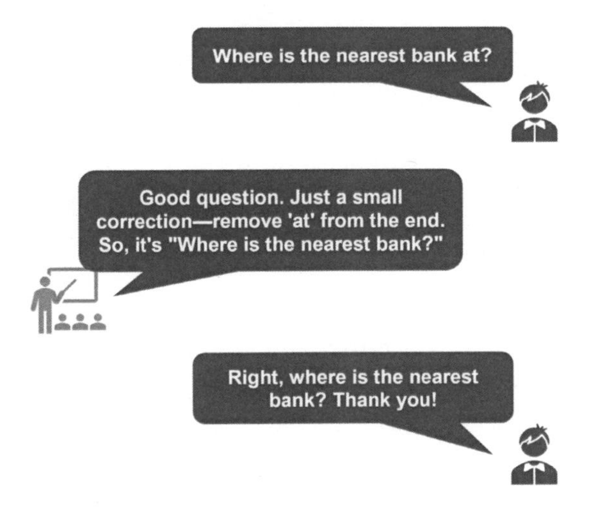

반면 인터랙션 내내 이런 피드백 행위가 계속된다면, 이는 학습 의지를 떨어뜨리는 역효과를 불러올 수 있다. 틈만 나면 다른 사람의 말에서 실수나 오류를 지적하는 사람과는 마음 편히 대화를 계속 이어나가기가 어렵기 때문이다. 따라서 피드백을 주고받는 세션과 그렇지 않은 세션을 나눠서 인터랙션을 할 필요가 있다.

실제로 불안감(Anxiety)은 외국어 말하기에서 중요한 고려 요소이다. 연구 결과에 따르면 대부분의 외국어 학습자들이 외국어 말하기에 대해 유독 큰 불안감을 가진다. 필자도 독일에서 어학원을 처음 다닐 때 독일어로 말해야 하는 데 대한 불안감이 컸다. 그리고 이러한 부정적인 감정은 말하는 과정에서 틀린 문법이나 이상한 단어를 사용하거나 잘못된 발음을 할지도 모른다는 걱정으로부터 생긴다. 즉 불안감은 주변의 시선과 평가에 몰두하면서 발생하는 감정이다.

이러한 불안감을 극복하는 유일한 방법은 자기가 전달하고자 하는 메시지에서 오류를 찾으려 하기보다는 말할 때 상대방이 메시지를 잘 이해할 수 있는지에 더 몰두하는 것이다. 말을 하는 자신에 초점을 맞추는 것이 아니라, 의사소통의 목적을 달성하기 위해 상대방에 더 집중하는 것이다. 놀라운 것은 실제로 대화를 하면서 상대가 내 말을 귀담아 듣고 이해하는 것이 보인다면, 그때부터 불안감이 서서히 사라지게 된다는 것이다.

자신이 뭔가 틀리게 말하더라도 상대가 비웃는 것을 두려워할 필요는 없다. 독일에서 언어를 배우는 외국인을 비웃는 사람은 단 한 명도 못 보았기 때문이다. 대부분의 사람들은 외국어로 말하려고 하는 상대를 그 자체로 존중해준다. 필자는 여전히 말할 때 종종 실수를 하곤 한다. 그러나 말을 하는 자신보다 말을 듣는 상대방에 집중하며 이야기를 하다 보면 의사소통이 수월하게 이루어진다. 대부분 사람들은 오히려 필자의 노력에 보답하듯이 더 귀를 기울인다. 그들은 외국어 학습자의 실수를 이해하며, 오히려 용기를 내어 말을 시도하는 모습에서 긍정적인 시선을 보낼 것이다.

인공지능으로 집에서도 회화 연습하기

인공지능을 통한 언어 학습은 이미 오래전부터 주목받아 왔다. 최근에는 인공지능 기술의 급속한 발달로 인해 이전에는 상상할 수 없었던 새로운 학습 방법이 가능해지고 있다. 대표적인 대화형 인공지능인 ChatGPT를 통해 이제는 집에서도 원어민 선생님을 둘 수 있게 되었다. ChatGPT 모바일 앱을 활용하면 학습자 개인의 요구와 진행 속도에 따른 맞춤형 학습 경험을 할 수 있으며, 이를 통해 학습의 효율성과 효과를 극대화할 수 있다.

본격적인 외국어 말하기 학습을 위해 아래의 단계들을 순서대로 따라해 보자.

Step 1. 스마트폰에 ChatGPT 모바일 앱을 다운받는다.

Step 2. 앱을 키고 나서 Settings에서Main Language로 들어간다. 자신이 학습을 원하는 외국어를 선택한다.

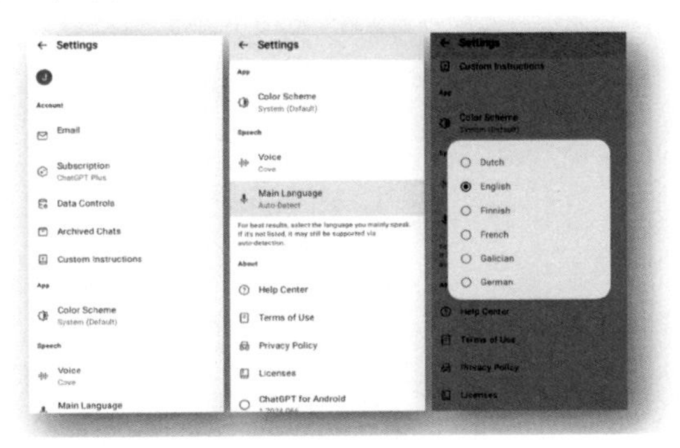

Step 3. 그 다음으로 Settings에서 Voice를 선택한다. 이 옵션에서 취향에 맞는 AI의 목소리를 설정할 수 있다. 여기서 마음에 드는 AI 음성을 선택하도록 한다.

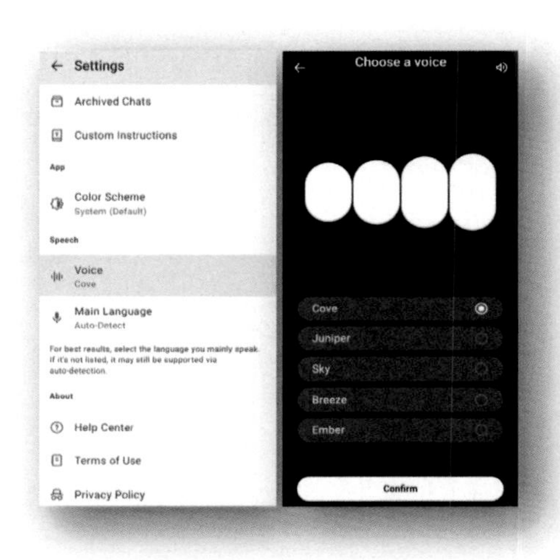

Step 4. 이번에는 Settings에서 Custom Instructions으로 들어간다. 두 번째 공간에 있는 'How would you like ChatGPT to respond?'에서 인공지능에게 여러 가지 정보를 주거나 어떻게 응답해야 하는지 등 원하는 지시를 내릴 수 있다. 말하기 연습을 위해서는 인공지능에게 역할극을 위한 사전 조건들을 부여해 줘야 한다. 대화 수준, 주어진 상황, 역할, 그리고 기타 조건들을 학습자의 외국어 수준과 기호에 맞게 입력한

다. 영어나 다른 외국어로 프롬프트를 작성하기 어렵다면 한국어로 쓰고 이를 해당 언어로 번역해서 붙여 넣어도 된다. 예를 들어 영어 학습자의 경우 다음과 같은 프롬프트를 입력해 보자.

Let's engage in role-playing. However, please make sure to adhere to the following requirements.

1. Goal: Improve English proficiency through realistic conversation practice.

2. English Proficiency Level: Intermediate.

3. Scenario: Planning and going out for dinner.

4. Your Character: You will assume the role of a friend named "John." Imagine you and I are friends planning to have dinner together.

5. Other Requirements:
    1) Vary your Sentence Structures: Mix up short and long sentences and use a variety of sentence structures.
    2) Use Fillers Appropriately: In real conversations, people often use fillers like "um," "uh," "you know," etc. Use these to mimic natural speech.
    3) Introduce Unexpected Elements: Real conversations often have interruptions, topic changes, or unexpected responses. Incorporate these elements to keep the dialogue engaging and less predictable.
    4) While the primary aim is to engage in a meaningful conversation, gentle corrections or suggestions for improvement will be provided if significant language errors are made. The focus will be on constructive feedback to help enhance my English proficiency.

Goal 항목에서는 대화의 목적을 설정한다. 우리는 외국어 학습이 목표이기 때문에 'Improve English proficiency through realistic conversation practice(현실적인 대화를 통한 영어실력 향상)'이라고 적는다.

English Proficiency Level에서는 본인의 외국어 수준을 설정한다. 초보자는 beginner, 중급자는 intermediate, 상급자는 advanced라고 입력한다.

세 번째 Scenario에서는 주어진 상황을 묘사한다. 예시에서는 'Planning and going out for dinner(저녁식사 계획하기)'라는 상황이 주어졌다. 주어진 시나리오 안에서 AI에게 캐릭터를 부여한다. 예시에서는 AI와 학습자가 친구라는 설정을 주었다.

마지막으로 기타 요구 사항들을 설정한다. 첫 번째는 문장 길이에 관한 설정이다. 짧은 문장과 긴 문장을 섞고 문장 구조를 현실 대화에서처럼 다양화하여 어색함을 줄이는 지시이다. 두 번째는 AI가 대화 중간중간에 추임새를 넣도록 하는 것이다. 최대한 대화를 실제처럼 이끌어 가기 위해 대화에 생동감을 부여하는 방법이다. 세 번째는 대화 중에 예상치 못한 변칙적인 요소들을 추가시켜서 대화가 실제와 유사하도록 설정한다. 네 번째는 인터랙션 관련 지시 사항이다. 외국어로 말하다가 큰 실수를 할 경우 이를 부드럽게 교정시켜 주는 피드백을 해 달라고 요청할 수 있다. 원한다면 자잘한 실수까지도 잡아 달라고 지시하는 것도 가능하다.

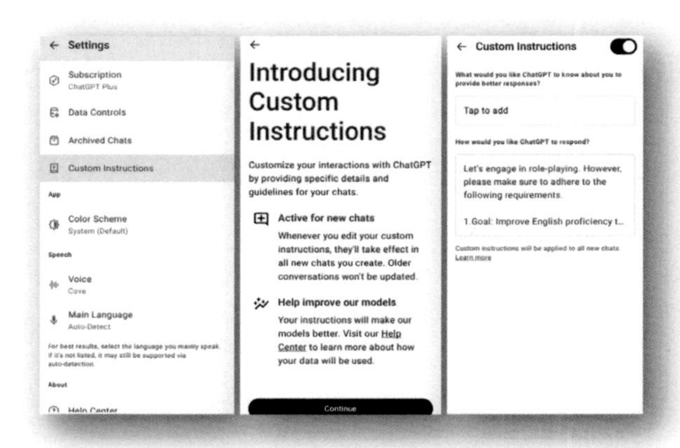

Step 5. 본격적으로 대화를 시작해보자. 채팅 창 우측 하단의 헤드셋 버튼을 클릭한다. 화면에 Listening이라는 표시가 뜨면 스마트폰 마이크에 대고 말을 할 수 있다. 대화는 사전에 프롬프트를 입력한 조건에 따라 진행된다는 점을 유념한다. 만약 대화 중 적절한 말이 외국어로 떠오르지 않는다면 잠깐 한국어로 말해도 계속 대화를 이어갈 수 있다. 서로 나누는 대화는 스크립트로 저장된다. 빨간색 X버튼을 누르면 언제든지 지금까지 나눈 대화를 스크립트로 볼 수 있다.

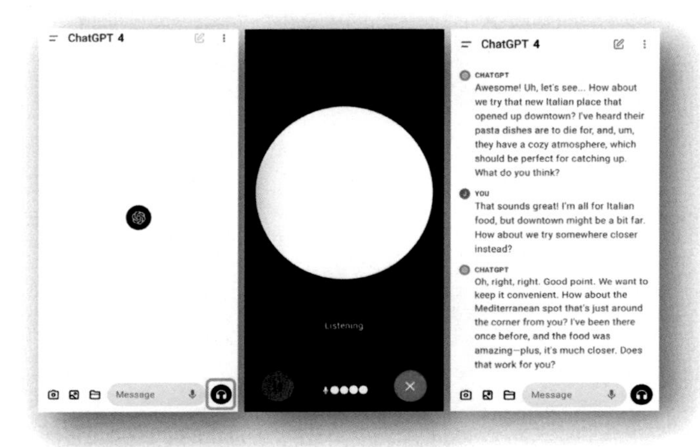

이처럼 인공지능 기술, 특히 대화형 인공지능은 언어 학습에서 혁신적인 도구로 자리매김하고 있다. 대화형 인공지능을 통한 외국어 학습 방법은 단순한 문법 교육이나 어휘 암기를 넘어서는 것이다. 이는 인풋, 아웃풋, 그리고 인터랙션을 통합적으로 고려하여 학습자가 실시간으로 언어를 사용해 보고, 즉각적인 피드백을 받으며, 다양한 상황과 맥락에서 언어를 체험할 수 있게 만들어 주기 때문이다. 뿐만 아니라 외국어로 말하는 것에 대한 부담과 공포심을 줄여 주는 역할도 한다. 이제는 언제 어디서나 인공지능을 통해 효과적인 외국어 회화 연습을 할 수 있는 시대가 도래했다.

끝으로 이번 장의 핵심을 요약하면 다음과 같다.

- 외국어 말하기 능력 향상에 필수적인 세 가지 요소는 인풋, 아웃풋, 인터랙션이다.
- 집중적인 인풋을 통해 다양한 언어 패턴과 상황에 맞는 표현을 익히며, 아웃풋을 통해 이를 활용하고 내재화하는 과정이 필요하다.
- 인터랙션을 통해 실시간으로 피드백을 받으며 언어 사용 능력을 개선하는 것이 필요하다.
- 대화형 인공지능, 특히 ChatGPT와 같은 툴을 활용하여 집에서도 원어민과 유사한 환경에서 외국어 말하기 연습을 할 수 있으며, 이를 통해 인풋, 아웃풋, 인터랙션을 통합적으로 실습할 수 있고 외국어 말하기에 대한 불안감을 줄일 수 있다.

참고문헌

1. Dörnyei, Z. (1991). Krashen's input hypothesis and Swain's output hypothesis in practice: Designing" i+ 1" teaching techniques. USIS Pretoria English Teaching Office Newsletter: English Teaching Forum, 33-35.

2. Bui, T., & Macalister, J. (2021). Online extensive reading in an EFL context: Investigating reading fluency and perceptions. 1539-0578, 1-29.

3. Cárcamo, M. M. A., Cartes, R. A. C., Velásquez, N. E. E., & Larenas, C. H. D. (2016). THE IMPACT OF MULTIMODAL INSTRUCTION ON THE ACQUISITION OF VOCABULARY. Trabalhos Em Linguística Aplicada, 55(1), 129–154.

4. Mayer, R. E. (2005). The Cambridge handbook of multimedia learning. University of Cambridge.

5. Zarei, G. R., & Khazaie, S. (2011). L2 vocabulary learning through multimodal representations. 1877-0428, 15, 369–375.

6. Hsiao, T.-C., Cheung, A., Jiang, G., & Yu, X. (2016). An interactive IELTS vo-

cabulary memorizing method based on Ebbinghaus curve. In 2016 International Conference on Applied System Innovation (ICASI).

7. Zeeland, H. V., & Schmitt, N. (2012). Lexical coverage in L1 and L2 listening comprehension: The same or different from reading comprehension? Applied Linguistics, 34(4), 457–479.

8. Nushi, M., & Orouji, F. (2020). Investigating EFL Teachers' Views on Listening Difficulties Among Their Learners: The Case of Iranian Context. SAGE Open, 10(2), 1-16.

9. Ryoko FUJITA (2017). Comparative Analyses of Films and Textbook Materials Focusing on the Speech Rate and the Readability. Teaching English Through Movies : ATEM Journal, 22, 71–84.

10. Yustina, H., & Suharyadi, S. (2023). The SPEECH RATE AND VOCABULARY PROFILE OF TED-ED VIDEOS AS EXTENSIVE LISTENING MATERIALS FOR EFL LEARNERS. LLT Journal: A Journal on Language and Language Teaching, 26(2), 482–494.

11. Lee, J. (2021). Analyzing Speech Rate in CSAT Listening Comprehension: From the Perspectives of Washback Effects and Learning Transfer. KOREAN JOURNAL of ENGLISH LANGUAGE and LINGUISTICS, 21, 1214–1231.

12. Zhang, S. (2009). The Role of Input, Interaction and Output in the Development of Oral Fluency. English Language Teaching, 2(4), 91–100.

13. Krashen, S. (1998). Comprehensible output? System, 26(2), 175–182.

14. Grant, S. J., Huang, H., & Pasfield-Neofitou, S. E. (2013). Language Learning in Virtual Worlds: The Role of Foreign Language and Technical Anxiety. Journal for Virtual Worlds Research, 6(1), 1–9.